En el restaurante

Escrito por Christine Loomis
Ilustrado por Nancy Poydar
Traducido por Graciela Vidal

SCHOLASTIC INC.
New York   Toronto   London   Auckland   Sydney

Para Kira,
una deslumbrante compañera
de cenas, por
su gran sentido del
humor y su singular relación
con la comida.
-C.L.

Para los maestros de la escuela primaria,
en particular, los que fueron
compañeros míos.
-N.P.

En el restaurante...

5

Los mozos la mesa ponen.

Los ayudantes corren.

El almíbar chorrea.
El tocino chisporrotea.

La gente se sienta.
La sopa se calienta.

9

El pan se está
tostando.
El pavo se está
dorando.

10

Los platos resplandecen.
La masa crece y crece.

La pastelera tararea.
El gato ronronea.

El lavaplatos
sigue lavando.
Los tomates
salen rodando.

El pastel es de fresa.

El gato bosteza.

La hamburguesa se asa.
Se revuelve la salsa.

El gato huele el pescado.
El jugo cae a su lado.

Unos vienen.

Otros comen.

La niña juega
a la escondida.

El perro a su dueño guía.

La comida tarda.
La gente charla.

El asiento da una vuelta.

¡El chocolate se vuelca!

Está muy frío
el helado.
Papá tiene
un resfriado.

El muchacho bebe.
El bebé se mueve.

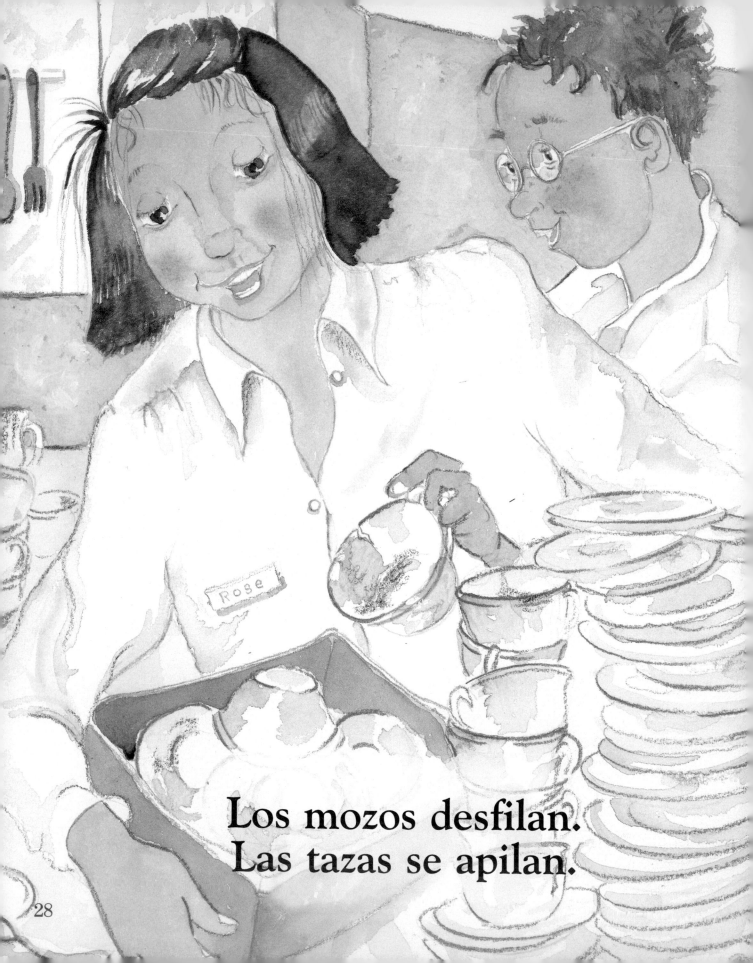

Los mozos desfilan.
Las tazas se apilan.

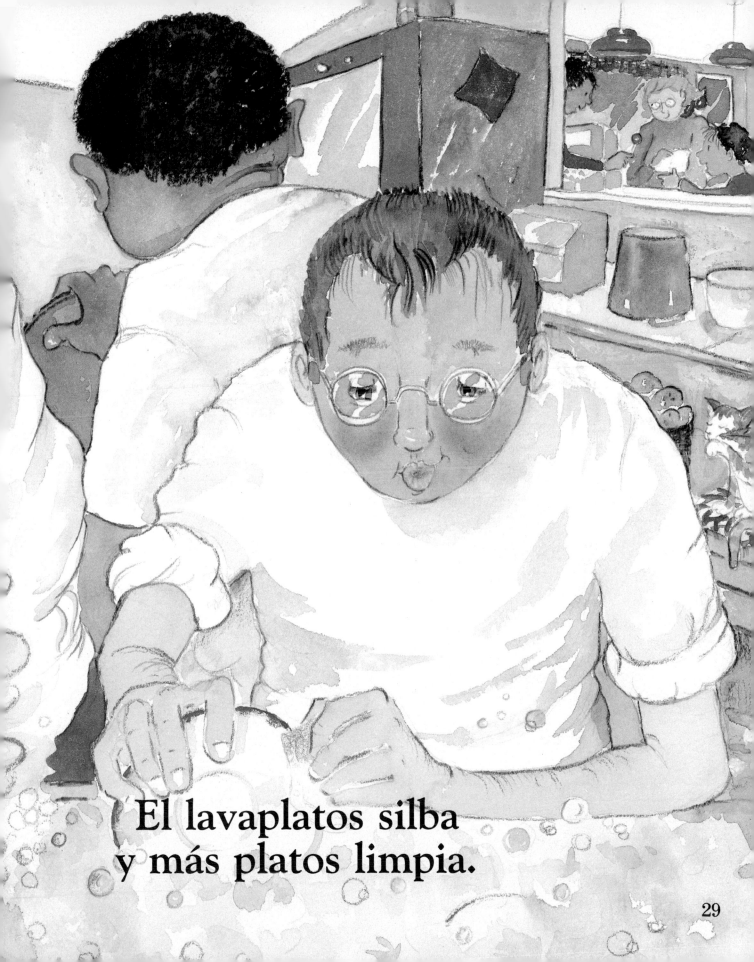

El lavaplatos silba
y más platos limpia.

La gente paga.
El día se acaba.

...en el restaurante.